聪聪科学绘本 物理篇

呼吸的空气

[韩]郭英直 金恩河 著　　[韩]崔炫墨 绘　　丛蕾 译　　飞思少儿产品研发中心 监制

电子工业出版社·

Publishing House of Electronics Industry

北京·BEIJING

敞开胸怀深吸一口气，
再"呼——"把吸进去的气呼出来，
是不是能感觉到有空气在身体中进出呢？
我们都是通过呼吸空气而生存的，
如果没有空气，我们一刻也活不下去。

我们都能感觉到风，
风其实就是流动的空气。
虽然我们看不见也摸不着，
但空气无处不在。

空气和玩耍

巨大的气球可以飘浮在空中；
用手轻轻向上托，气球就可以弹起来，
这都是因为气球里面充满了空气。
玩皮球的时候，即使把球掷向地面，
球也可以重新跳起来，
这也是因为球里面充满了空气。
——幸亏有了空气，才让玩耍变得
这么有意思！

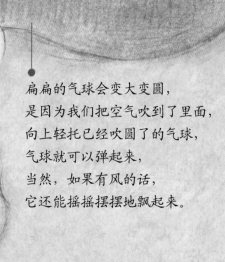

扁扁的气球会变大变圆，
是因为我们把空气吹到了里面，
向上轻托已经吹圆了的气球，
气球就可以弹起来，
当然，如果有风的话，
它还能摇摇摆摆地飘起来。

风筝乘着风飞向天空，
托举风筝的力，
正是空气运动所产生的。

踢球的时候，
球会发出"嘭嘭嘭"的声音，
这是因为球里面充满了空气，
空气撞击球壁就会发出这种声音。
如果空气漏出来，球瘪了，
就不能发出声音了。

呼吸空气

如果用手捂住嘴和鼻子，

就会感到胸闷气短，

这是因为空气在身体里不能自由地进出。

我们一边吸入空气，一边把体内产生的废气呼出去，

如果不呼吸的话我们就不能生存。

我们呼吸空气主要是吸入
我们所需的氧气，
呼吸的过程即是氧气在
我们体内循环的过程。

吸入的氧气在体内循环使用后，产生二氧化碳，呼气时把二氧化碳从体内排出去。

无论是动物还是植物都需要呼吸，它们像我们人类一样，吸入氧气，呼出二氧化碳，如果不呼吸，任何生命都活不下去。

空气在哪儿呢?

空气存在于我们周围的每个角落,

那些看起来空荡荡的地方也都存在空气。

无论我们身在何处,都是处在空气的包围中,

即便是水和土壤中也含有空气。

土壤的间隙中流动着空气,
所以在土壤中生活的动物可以呼吸到空气。

水中也含有空气,
在水中生活的动物也都呼吸着空气。

海拔越高的地方空气越稀薄，所以在很高很高的地方我们会感觉呼吸困难。

环绕地球的空气

我们生活的地球上充满了空气，
我们把环绕着地球的空气层叫做"大气层"，
大气层好像棉被一样包围并保护着地球。

宇宙中存在很多有危害的光线和灰尘，
大气层能吸收这些光和灰尘，并阻挡它们
落到地球上。

宇宙中有许多飘浮的物体会落向地球，
但是大部分在与空气的摩擦中燃烧掉了，所以掉不到地面上，
这些在大气层中燃烧的物体就是我们所说的流星。

阳光通过大气层时，空气分子会把阳光散射到四面八方，使地球的每个角落都遍布阳光。由于阳光中的蓝色光最易被反射，所以整个天空看起来是蓝色的。

阳光中含有紫外线。
人如果照射了过多的紫外线，
眼睛会有灼痛的感觉，
也很可能得皮肤病，
幸好大气层吸收了大量紫外线，从而减少了我们的危险。

空气具有什么样的性质呢？

空气是看不见也摸不着的，
但是科学家们通过大量的实验了解了空气的性质。

肉眼看不到

看似空无一物的地方，到处散布着空气，
空气分子小得即使用显微镜也看不到，
我们把这种形态的物质叫做气体。

空气是由很多气体组成的

空气中含有氮气、氧气、
二氧化碳、水蒸气等气体，
其中含量最多的是氮气，其次是氧气，
二氧化碳、水蒸气及其他气体的含量
相对较少。

氮气

氧气

二氧化碳

水蒸气

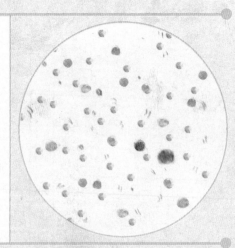

体积变大与缩小

某种物体占有的空间大小
就叫做它的体积。
随着温度和压力大小的变化，
空气的体积也有所变化。

温度下降或用力挤压时，
体积就会缩小。

温度上升或挤压力度减弱，
体积就会变大。

热空气位于冷空气上方

热空气比冷空气轻，
所以往上跑，
热气球就是利用这个原理制造的。
给热气球加热，它就能变轻，
忽忽悠悠地飘起来。

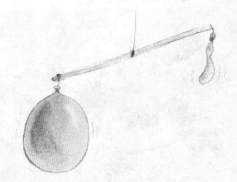

空气也有重量

在棍子的两端各系上一个充满空气的气球，
如果其中一个气球漏气，
棍子就会向相反的方向倾斜，
这是因为空气漏出去后气球变轻了。

空气可以传播声音

我们能听到"啦啦噜噜"欢快的歌声，
还有乐器敲打出的叮叮咚咚的声音，
都是因为有空气。
空气可以传播声音，
没有空气的地方就听不到声音。

物体振动产生了声音。
敲鼓、弹吉他时，乐器振动，周围的空气也随着振动，
空气的振动，传到耳朵里，我们就听到了叮叮咚咚的声音。

在月球上听不到任何声音，
因为那里没有能把声音传播到我们耳朵里的空气。

空气导致天气的变化

有时阳光灿烂，有时哗哗下雨，
像这样的天气变化都是因为空气。

空气中含有的水蒸气，是水珠在阳光照射下变化形成的，随着空气中水蒸气含量的变化，天气也会变化。

空气中水蒸气多的话就会出现阴天或者雨天。

空气中水蒸气少的话就会出现晴天。

在阳光的照射下，地面上的一部分空气会变热，热空气变轻上升，冷空气就流进来填补它的位置，像这样的空气流动就形成了风。

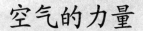

空气的力量

沙沙沙……是风在吹动树叶，

大风还能把树也吹倒，

而风正是空气在流动。

台风之类的强风，会给人们造成危害，

但如果能合理利用风的话，

也可以做很多好事。

风使船动

用大块儿布做成帆挂在船上，风会吹动帆使船往前走。

这样的船叫帆船。

利用风力运转机器

风吹着风车滴溜溜地旋转，
连在风车上的碾子就可以碾磨粮食了。

利用风发电

大风转动风机，
风机连接的风力发电机就会转动发电。

空气正在变脏

跑动的汽车排放尾气，
工厂烟囱里冒出灰灰的烟，
这些气体中含有对人体有害的物质，
人在呼吸时吸入这些有害物质，
就容易生病，甚至可能死亡。

保持空气的清洁

保持空气的清洁就是保护我们自己。

草和树能吸收空气中的有害物质，

制造出我们所需的氧气。

我们应该种很多的树，
精心栽培，多亏有草和树
空气才会干净。

使空气保持清洁，是很重要的事
为了净化空气，要爱护绿草和树木
植物在利用阳光、水和二氧化碳制造养分的同
时，也制造出氧气。虽然植物在呼吸的时候也
会吸入氧气放出二氧化碳，但是相比较而言
植物制造养分时所产生的氧气，比它们呼吸所
用掉的氧气多得多。

心中的风

虽然空气一直在我们周围，但我们并没有明确地感觉到它的存在。
不过对于流动的空气——风，我们却有着各种感觉和认识。
从前的人们相信有风神掌管着风，
在许多神话传说及艺术作品中，都体现了人们对风的认识。

1 风伯

在古朝鲜神话中，立国者檀君的父亲是天神之子桓雄，桓雄下凡时，还带着掌管云的云师、掌管雨的雨师以及掌管风的风伯。

2 暴风

暴风能掀起巨大的波涛，足以粉碎船只，给人们带来严重的危害。

3 风神

在日本的神话传说中，风神是由创造之神呼的气息变成的，他总是带着装风的口袋到处游荡。

①

②

③

④ 西尔芙

西尔芙（Sylph）是空气的精灵。据说西尔芙可以像隔着透明的空气一样，看穿人们的心灵。

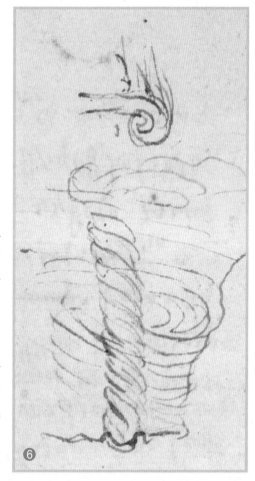

⑤ 埃耶卡特尔

埃耶卡特尔（Ehecatl）是阿兹特克神话中出现过的风神。他可以给世间带来生命力和活力。

⑥ 龙卷风

这是才华横溢的画家、科学家莱昂纳多·达·芬奇的画。他曾经研究过引起龙卷风的空气流动。

我们生活在空气的海洋中

　　我们用眼睛看不到空气，可是要感觉到空气的存在并不是件难事。当看到树在风中摇摆时，我们所看到的正是空气在活动。

　　地球被看不见的空气包围着。空气可以说是温暖地球的被子，也可以说是保护地球的保护膜。因为有空气的包围，地球比其他没有空气的行星更温暖；宇宙中常常会有对我们有害的粒子或光线射向地球，但是因为有空气的阻隔地球很安全。

　　空气形成了所有生命赖以生存的环境。刮风下雨等天气的变化都发生在空气中：因为空气中含有很多水蒸气，所以会下雨下雪；空气吸收很多阳光的话天气就会变热；部分空气比别的空气温度高，就会有风，甚至会出现台风、龙卷风等强风。

　　空气中不是只有一种成分，空气是由气体中最轻的氢气，以及氦、氮、氧、二氧化碳等不同性质的气体相互混合而成的。植物或者动物需要靠氧气来维持生存。为了吸入氧气我们呼吸空气。虽然我们不断地吸入氧气，但空气中的氧气并没有减少，这是因为

有植物在制造氧气。植物获取光能制造养分的同时会释放出氧气。氧气也能溶入水中，所以生物在水中也可以生活。

空气中有时会混有对我们的健康有害的气体或灰尘。工厂里冒出的煤烟以及汽车排放的尾气是对健康最有害的气体。空气一旦被污染，想要重新净化就非常困难，而且我们任何人都不能摆脱被污染的空气，所以努力不让空气变脏比做任何事情都重要。

文/郭英直